# C'EST MOI L'ESPION

## DE LA CHASSE AU TRÉSOR

### DES PHOTO-MYSTÈRES

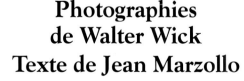

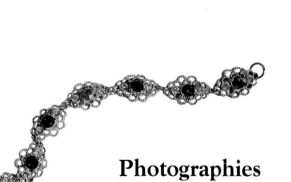

Photographies
de Walter Wick
Texte de Jean Marzollo
Texte français de Lucie Duchesne

Les éditions Scholastic

Pour Furlow, Chadwick et Richard Word

W.W.

Pour Jennifer et
Michelle Cotennec

J.M.

À mes deux espions de fils qui n'ont pas besoin de lunettes, eux,
et dont la vue surpasse celle de l'aigle et du faucon,
aidant leur mère à recréer l'atmosphère de cet album.
Damien et Benoit, je vous dis mille mercis!

L.D.

Conception graphique de Carol Devine Carson

Pour de plus amples informations sur les auteurs et les illustrateurs de Scholastic,
vous n'avez qu'à consulter notre site Web www.scholastic.com

Copyright © Jean Marzollo, 1999, pour le texte.
Copyright © Walter Wick, 1999, pour les illustrations.
Copyright © Les éditions Scholastic, 1999, pour le texte français.
Tous droits réservés.

Il est interdit de reproduire, d'enregistrer ou de diffuser en tout ou en partie
le présent ouvrage, par quelque procédé que ce soit, électronique, mécanique,
photographique, sonore, magnétique ou autre, sans avoir obtenu au préalable
l'autorisation écrite de l'éditeur. Pour toute information concernant les droits,
s'adresser à : Scholastic Inc., 555 Broadway, New York, NY 10012.

Titre original : I Spy Treasure Hunt

ISBN 0-439-00527-2

Édition publiée par Les éditions Scholastic,
175, Hillmount Road, Markham (Ontario) Canada, L6C 1Z7.

5 4 3 2 1       Imprimé au Mexique       9 / 9 0 1 2 3 4 / 0

# Table des matières

Pars à l'aventure et cherche le trésor.
Trouve l'endroit où le pirate a caché son or.

Ces photo-mystères te plairont.
À toi de jouer : c'est toi l'espion!

Je cherche un hippocampe, une punaise, des ciseaux,
une hache, deux épingles à cheveux et deux sacs à dos;

un cintre, une cuillère, un dauphin, un klaxon,
un rouleau à pâtisserie, un dé et un camion.

Debout sur le balcon de l'auberge, je cherche un coq, une épée, une pince à linge, deux vis, deux gouvernails et un dé;

une baleine, une aiguille, deux hameçons,
une gomme à effacer, une coquille de noix et un poisson.

Je cherche quatre palmiers, un violon, une otarie,
dix quilles, un crabe, une grenouille et une chauve-souris;

cinq chats, cinq abeilles, deux pingouins,
une cage, une locomotive et deux dauphins.

Je cherche une sirène, une tortue, une tête de mort,
un requin, un aigle et deux bateaux au port;

une lanterne, un boulet de canon, deux tonneaux,
un cygne, un coquillage, une pelle et cinq chevaux.

Du haut du fort, je cherche une tortue, une clé,
une grenouille, une horloge et un sachet de thé;

une bougie, un lièvre, une échelle, une vieille radio,
une coquille de noix, une niche et un drapeau.

Je cherche un renard, une boîte à lunch, des skis,
deux cerfs, un balai, un pneu et une corbeille de fruits;

un canard, un fer à cheval, un lièvre, un râteau,
une niche, une flèche, une souris et un marteau.

Je cherche un crabe, un clou, un voilier ennuagé,
une rame, une oie, une plume et un trombone sur le côté;

une échelle, un coquillage, un hameçon,
un hippocampe, un poisson, deux tortues et un crayon.

Je cherche sept fers à cheval, une clé, deux lames de scie,
un nœud dans un câble, un cheval et un nid;

un moulinet pour la pêche, une enveloppe, un chat,
deux ressorts, un entonnoir et un cadenas.

Je cherche une pièce de monnaie, trois os entrecroisés, des jumelles, cinq bouteilles, un lézard et une clé;

trois araignées, un fossile, un nid,
un X, des dents de requin et une poulie.

Je cherche une hache, trois étoiles de mer, un marteau,
une bouteille, une scie et une hélice de bateau;

un soldat, trois pommes de pin, un voilier,
un clou tordu, un crochet, une rame et une bouée.

Je cherche une cuillère, une clé anglaise, un lion,
une épingle à cheveux, un domino, une cloche et un bouton;

un croissant de lune, un dinosaure, une tête de mort,
un dauphin, une épingle de sûreté, un pélican et un ressort.

Tout en puisant le trésor, je cherche un gland, une clé,
trois poissons, un cadenas, et une araignée;

trois dés à coudre, un ver, deux lézards,
un hibou, une couronne, un fanal et un léopard.

# D'autres énigmes

## Qui suis-je?

Dans chaque illustration, as-tu réussi à m'apercevoir?
Je vole, je me perche, je suis une _____ toute noire.

## Trouve les illustrations qui correspondent à ces énigmes.

Je cherche une coquille d'œuf, un cadran, un tonneau,
une coquille de noix, une roue, deux vis et un oiseau.

Je cherche un flocon de neige, une rame, un ours polaire,
un bâtonnet, une trappe à souris et une étoile de mer.

Je cherche une bobine de fil, une niche, trois canards,
une lampe magique, une boîte de conserve et un phare.

Je cherche une épée, une botte, un château,
une canne à pêche, une pelle et deux tonneaux.

Je cherche une pièce de monnaie, une balle, un porte-clé,
un dauphin, un épi de maïs et un cornet de crème glacée.

Je cherche une coquille de noix, une allumette,
deux escaliers, un coquillage et deux mouettes.

Je cherche trois ancres, une épée, un phare,
un nœud coulant, une baleine, un violon et un canard.

Je cherche un hippocampe, une grenouille, un chameau,
un anneau d'or, une tortue, une tête de cheval et un bateau.

Je cherche un écureuil, un serpent, cinq pommes de pin,
une flèche, un champignon, un hibou et un phare au loin.

Je cherche cinq ancres, deux pièces de monnaie,
un vélo brisé, un canard, trois chiens et un cornet.

Je cherche une pipe de plâtre, trois coquilles d'escargot,
un cadenas, six crânes, un petit canon et un oiseau.

Je cherche une clé sur une porte, une pomme de pin,
un parapluie, des bois de cerf, un profil éclairé et un chien.

# Comment ce livre a été fait

*C'est moi l'espion de la chasse au trésor* est le tout nouvel album de la série *C'est moi l'espion* publié en français. Pour ce livre, j'ai décidé de faire quelque chose de différent. Plutôt que de construire une scène pour chaque photographie, comme dans les autres albums, j'ai construit un village miniature, appelé «Smuggler's Cove» (Anse aux contrebandiers), et je l'ai photographié de cinq points de vue. J'ai eu besoin de l'aide d'un assistant et de trois spécialistes en maquettes. Smuggler's Cove a été construit sur une scène de 4,92 m sur 4,92 m à l'échelle HO (1:87). Les autres (pages 12, 14, 18, 22, 24 et 30) sont des scènes séparées construites à des échelles plus grandes. «La plage» était une maquette à grande échelle, utilisée avec le paysage à l'échelle HO. Toutes les scènes ont été photographiées avec un appareil de 4 pouces sur 5. Il a fallu neuf mois pour préparer le projet dans son entier. Toutes les scènes ont été démontées par la suite, mais elles continuent à vivre dans les photographies, dans le texte de Jean Marzollo et dans l'aventure que nous avons appelée *C'est moi l'espion de la chasse au trésor*.

Je tiens à remercier les personnes suivantes, qui m'ont aidé à monter les scènes : Daniel Helt, Bruce Morozko, Michael Lokensgard, John Bassano et Linda Cheverton-Wick. Je remercie également Grace Maccarone et Bernette Ford, de Scholastic, ainsi que Edie Weinberg, pour leurs conseils et leur patience. Je ne dois pas non plus oublier Will Altman, Barbara Ardizone, la famille Goff, Jeff Hirsch de Foto Care Limited (New York) et Rick Schwab de Rick's Image Works (New York).

Walter Wick

**Walter Wick** est le photographe de la collection *C'est moi l'espion*. Il est également l'auteur et le photographe de livres pour la jeunesse et a gagné plusieurs prix et mentions. M. Wick a réalisé les photographies de plus de 300 couvertures de livres et magazines. Il vit avec sa femme, Linda, à New York et dans le Connecticut.

---

### Quelques explications

Te voilà en vacances dans un petit village anglais de la côte Est. C'est la raison pour laquelle tu n'es pas étonné de voir que tout est en anglais. Dès la page 8, où tu arrives par le train, tu verras des indices qui te permettront de trouver le trésor caché par un pirate. La carte des pages 14 et 15 raconte un peu l'histoire de ce livre. Le pirate anglais a dérobé un trésor et l'a caché. Il a laissé une carte pleine d'indices, que tu retrouveras au fil de l'album : le nom du village, «Smuggler's Cove» (Anse aux contrebandiers), l'auberge («Inn»), le phare, la caverne, l'île, la cascade («Waterfall»), etc.

# Comment fabriquer des énigmes

Les albums *C'est moi l'espion* aident les enfants à utiliser les mots de façon plus précise et amusante et à penser de façon créative. Lorsque je vais dans les écoles, je me rends compte que les enfants créent de magnifiques scènes inspirées de *C'est moi l'espion* et ont parfois besoin d'aide pour rédiger leurs textes. Voici quelques trucs : fais la liste du maximum d'éléments ou d'objets à identifier. Ensuite, choisis des paires qui riment (comme drapeau et bateau), pour la fin de chaque ligne. Tu construis chaque énigme en deux lignes en mettant trois ou quatre éléments par ligne, le dernier de la première ligne rimant avec le dernier de la deuxième ligne.

Je veux remercier les personnes suivantes, qui m'ont aidée à préparer ce livre : les élèves de l'école primaire Riverview à Denville (New Jersey) et à l'école primaire Martin à Manchester (Connecticut), Michelle, Jennifer et Donna Cotennec, Lura, Timothy, Julia et Jonathan Briggs, Zak Colangelo et Ben Levine, Clea Colangelo et Stefan Jimenez, Allison Thompson, Katie Brennan et Sri Kuehnlenz, Michaela, Stephen et Kathy Everett, Mim Galligan, Sheila Rauch et Margaret Hare, Chris et Molly Nowak, Claudio Marzollo et, encore une fois, Dave Marzollo, dont la contribution a été extraordinaire.

Jean Marzollo

**Jean Marzollo** a écrit de nombreux livres pour enfants (plusieurs ont remporté des prix), dont ceux de la collection *C'est moi l'espion.* Avec ses fils Dan et Dave, elle a entre autres écrit *Le champion de hockey*. On lui doit également *Ah! l'eau!* et *Il neige!*. Mme Marzollo a obtenu une maîtrise à la Harvard Graduate School of Education. Elle dirige le Vassar College Children's Book Institute of Publishing and Writing. Elle vit avec son mari, Claudio, à Cold Spring (New York).

**Carol Devine Carson**, qui assure la conception graphique de la collection *C'est moi l'espion*, est directrice artistique chez un important éditeur de New York.

# Et... comment cet album a été fait en français

Tout d'abord, la traductrice reçoit les illustrations et les textes. Mais c'est compliqué : on ne peut pas traduire directement, car il y a des mots qui ont deux ou trois sens en anglais. Il faut donc trouver le vrai objet dans l'illustration. Pensons au mot «key», qui peut signifier «clé» (pour ouvrir une porte) ou encore «ton» en musique (on joue en «do» ou en «fa», par exemple) ou «touche» (comme sur un piano ou un accordéon). Il faut donc espionner longtemps : on commence à chercher tous les indices donnés dans le livre anglais et on en cherche d'autres, pour réussir à composer des phrases qui riment. C'est la recette!

L'espionne (Lucie Duchesne)

**Lucie Duchesne** travaille en traduction et en littérature pour la jeunesse depuis bientôt vingt ans. Elle adapte et traduit des livres pour tous, dont deux ont été primés par les lecteurs de Communication-Jeunesse.

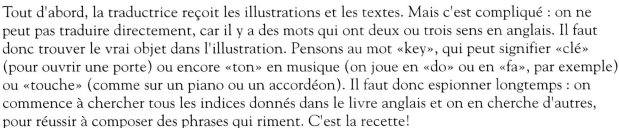

Dans la même collection

C'EST MOI L'ESPION
DE NOËL

C'EST MOI L'ESPION – SUPERDÉFIS!

C'EST MOI L'ESPION
DU MONDE DU FRISSON

C'EST MOI L'ESPION
DU PARC D'ATTRACTIONS

C'EST MOI L'ESPION
DU MONDE DU MYSTÈRE

C'EST MOI L'ESPION
DU MONDE DE LA FANTAISIE